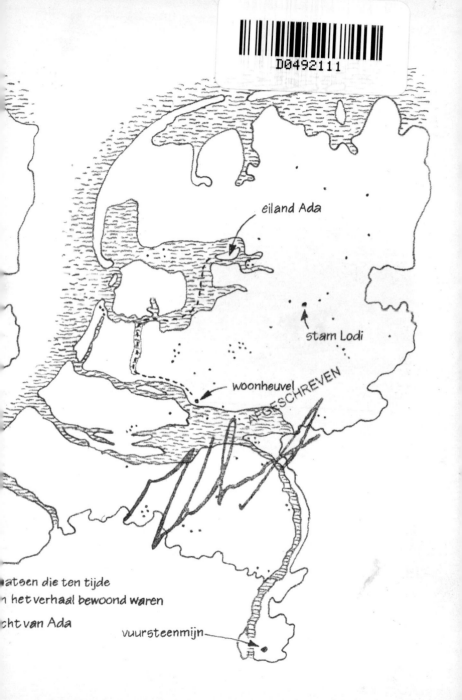

eiland Ada

stam Lodi

woonheuvel

AFGESCHREVEN

atsen die ten tijde

n het verhaal bewoond waren

cht van Ada

vuursteenmijn

Peter Smit

De vlucht van Lodi

Tekeningen van René Pullens

L	E	E	S
L	Leeservaring A B C D **E** F G H		
A	AVI 1 2 3 4 5 6 **7** 8 9		
T	Thema historie; andere culturen		

vanaf 9 jaar

Toegekend door KPC Groep te 's-Hertogenbosch.

STICHTING NEDERLANDSE
KINDERJURY
2004

0 1 2 3 4 5 / 07 06 05 04 03

ISBN 90.276.4978.2
NUR 283

Vormgeving: Rob Galema
Historisch adviseur: Ron de Bruin
© 2003 Tekst: Peter Smit
Illustraties: René Pullens
Uitgeverij Zwijsen Algemeen B.V. Tilburg

Voor België:
Zwijsen-Infoboek, Meerhout
D/2003/1919/462

Inhoud

Voorwoord

Vier- tot vijfduizend jaar geleden zag Nederland er anders uit dan nu. Er waren geen wegen en geen dorpen en steden. Huizen, kerken en kastelen waren er ook nog niet. Er waren veel bossen en maar weinig mensen. Deze mensen leefden in kleine groepen. Ze woonden met elkaar in lange hutten. Die hutten waren gebouwd van palen waarop een dak van stro was gemaakt. Vaak stonden die hutten op heuveltoppen. Dat was omdat grote stukken land in het voorjaar en in de herfst overstroomden. Langs de rivieren de Maas en de Rijn waren nog geen dijken gelegd. Als het water door de regen en de smeltende sneeuw steeg, werd de rivier een heel stuk breder. Op de kaart kun je goed zien dat het midden van Nederland zodoende één grote watervlakte werd. Voor de mensen die er woonden had dit een voordeel. Ze konden vissen en watervogels vangen en eieren zoeken. Als het ondergelopen land weer droogviel, konden ze op de vruchtbare rivierklei gerst en linzen verbouwen. Er was ook een nadeel. Soms kwam het water zo hoog te staan dat de woonheuvels bijna werden overspoeld. Het gebeurde ook wel eens dat ze helemaal onder water verdwenen.

De mensen die er woonden trokken dan naar een andere plek. Dat kon makkelijk, want het grootste deel van Nederland was nog onbewoond. Of die nieuwe plek wél veilig was, dat wisten de mensen niet. Ze wis-

ten ook niet hoe het kwam dat de rivieren in het voorjaar groter werden en waarom veel vogelsoorten in de
herfst opeens verdwenen. Omdat alles zo onbekend en
geheimzinnig was, waren er voorspellers. Die keken
naar de vogels in de lucht of gooiden een handvol
notendoppen op de grond. Daarmee probeerden ze
de toekomst te voorspellen.

De woongroep waarover dit verhaal gaat heeft ook
zo'n voorspeller. De groep leeft op een heuvel aan de
Rijn, op de grens van Utrecht en Gelderland. Door te-
genslagen is de groep steeds kleiner geworden en het
water van de rivier lijkt elk voorjaar wel een stukje
hoger te komen ...

1. In gevecht met het water

'Branda! Waar zit je? Branda!' De zware stem van Brin verwaaide in de storm. De wind gierde, rukte aan de takken van de bomen en liet de struiken heen en weer schudden. Brin zette zijn handen aan zijn mond.

'Brandááá! Waar ben je? Geef antwoord!'

Branda tilde haar hoofd op. Ze lag plat op haar buik in het zand. Ze hoorde haar vader roepen, maar had geen kracht om terug te schreeuwen. De stormwind zwol aan en gierde met een huilend geluid over de heuveltop. Een zware boomtak scheurde af en viel naast haar op de grond. Branda rilde. De wind kwam uit het noordwesten en was bitter koud. Haar wollen mantel was dik en goed geweven. Daarbij had ze nog een deken van bevervellen uit de hut kunnen redden. Ze zou vannacht niet bevriezen. De storm joeg het water hoog tegen de woonheuvel aan. De hut was al half ondergelopen, terwijl hij bijna op het hoogste punt van de heuvel stond. Alleen de plek waar ze nu lag was nog iets hoger. Ze was net op tijd gevlucht en had haar kleren droog gehouden. Maar zou dat ook zo blijven? Daar lag ze nu, plat op de grond. Ze hoorde de stem van haar vader. Ze hoorde het gieren van de storm, die met lange uithalen over het land joeg. En ze hoorde het water. De golven sloegen stuk tegen het zand van de heuvel. Dat geluid kwam steeds dichterbij …

Branda rilde. Voelde ze water bij haar voeten? Ze trok

haar benen op. Haar handen voelden twee ijskoude rijen tenen, maar die tenen waren niet nat. Ze probeerde naast zich te kijken, maar de nacht was stikdonker en ze kon geen hand voor ogen zien. Ze zoog haar longen vol lucht.

'Vader! Ik ben hier!'

Net toen ze het riep, trok er een bulderende windstoot over de woonheuvel. De grond trilde. Water spatte over haar heen en sloeg in haar gezicht. Het voelde ijskoud aan en deed pijn aan haar wangen. De bomen naast haar kraakten onheilspellend. Vlak achter zich hoorde ze een doffe bonk. Branda voelde haar hart in haar keel bonzen. Weer joeg er een snerpend koude windvlaag door de takken boven haar hoofd. En nog een, en nog een. Er klonk een scheurend geluid. Branda beschermde haar hoofd met haar handen. Ze wachtte op de klap, maar die kwam niet …

Eindelijk leek de storm minder te worden. Branda tilde haar hoofd van de grond. In de verte zag ze een lichte streep. Gelukkig. Het zou weer dag worden. Het zou niet nacht blijven, zoals in de verhalen die oude Kieks vertelde. In haar hoofd hoorde Branda oude Kieks met krakende stem vertellen:

'Als de goden boos zijn, blijft het eeuwig nacht. Dan dolen de mensen als blinden rond. Ze roepen, ze smeken, en daarna sterven ze van honger omdat ze geen voedsel kunnen vinden. Daarom moeten wij zorgen dat de goden niet boos worden. We moeten de goden offers brengen. De grootste vis, de vetste gans en vers gebakken brood. Allemaal geschenken om de goden gunstig te stemmen.'

Branda zette haar handen aan haar mond en riep met al haar kracht: 'Vader!'

Haar stem klonk rauw en ze moest hoesten. Ze schraapte haar keel en riep opnieuw. 'Ik ben hier! Branda is hier!'

Ze hield haar adem in en luisterde. Haar vader zou toch niet gewond zijn? Of verdronken …

Branda dacht aan de brekende takken, aan de doffe bonken en het rondspattende water. Ze huiverde. Toen hoorde zij een bekende stem.

'Blijf waar je bent! Er staan …' De wind joeg opnieuw aan en overstemde de woorden, maar het was de stem van haar vader. Ze hoorde het duidelijk. Er trok een tinteling van blijdschap door haar borst. Even voelde ze de bijtende kou niet meer. Hoorde ze hem nu weer?

'… wacht tot het licht is voor …'

Branda kneep haar ogen samen en tuurde in de richting van de hut. Ze zag grijze schaduwen en haalde opgelucht adem.

Toen de zon opkwam kroop Branda overeind. Ze keek naar de tak die vlak naast haar lag. Die tak was zo dik als een mannenbeen. Als die op haar was gevallen, zou ze dood zijn geweest. Tussen twee scheefstaande bomen zag ze de hut. Die stond ook scheef. Ze zag een grote man met grijswitte krullen om de hut lopen. Branda stak haar armen omhoog en zwaaide. 'Vader!'

De man keek op. Zodra hij haar zag, begon hij met zijn armen te zwaaien. 'Blijf daar, Branda! Wij komen naar jou toe!'

Even later begreep Branda waarom ze niet naar de hut mocht komen. De twee grote bomen vlak naast de hut waren door de storm ontworteld en tegen elkaar aan gewaaid. Ze hielden elkaar in evenwicht, maar konden elk ogenblik omvallen. Dan zou de hut worden verpletterd, met iedereen die erin zat. Branda keek naar haar vader. Die had een rillende jongen in zijn armen. Het was Eddo. Zijn kleren waren drijfnat. Haar vader hoestte.

'Hij kan niet staan van de kou.'

Branda wikkelde Eddo in de deken van bevervellen.

'Brandt het vuur in de hut nog?' vroeg ze.

Haar vader knikte, maar toen hij begreep wat Branda van plan was, schudde hij zijn hoofd. 'Het is daar levensgevaarlijk. Ubbo en Tabbe zijn nog in de hut. Met Kieks en Fenne.'

Branda fronste haar wenkbrauwen. 'Waarom komen ze niet hier? Als het daar gevaarlijk is?'

Haar vader snoof. 'Ze kunnen niet lopen. De hut staat half onder water. Ze zijn allemaal blauw en verstijfd van de kou.'

Branda probeerde of ze haar knieën kon buigen. Het ging met moeite, maar het lukte. Toen liep ze over het pad naar de hut. Tot aan de scheefstaande bomen liep ze langzaam. Toen ze er voorbij was, maakte ze haast. Ze rende de hut in en plonsde door het water naar de vuurkorf die hoog aan een balk hing. Ze zag dat de anderen tot hun knieën in het water zaten. Ze zagen blauw van de kou. Ze konden alleen kijken en klappertanden, verder niets.

'Ik kom zo terug,' zei Branda snel. 'Eerst een vuur maken.'

Ze griste de vuurkorf en een paar stukken droog hout bij elkaar en maakte dat ze weg kwam.

De kooltjes in de korf waren na een paar keer blazen roodgloeiend. Het was een koud kunstje om er een houtvuur mee te maken. Branda sleepte Eddo tot vlak naast de flakkerende vlammen, zodat de wind de warmte naar hem toe zou blazen. Haar vader ging ook in de warmte staan. Hij probeerde de spieren in zijn armen en benen weer soepel te maken. Hij knikte naar zijn dochter.

'Ga jij vast proberen om Ubbo hierheen te dragen. Zodra ik weer goed kan bewegen, kom ik je helpen.'

Branda knikte en liep zo snel ze kon naar de hut.

Ubbo was licht, hij had dunne botten en een mager lijf. Branda trok hem van de bank omhoog en nam hem op haar rug. Ze liep met grote stappen naar de deur van de hut. Bij elke stap maakte ze een plonzend geluid. Ze zag dat Kieks haar hoofd omdraaide.

'Straks ben ik,' kreunde ze. 'Ik ben straks aan de beurt.'

Branda schudde haar hoofd. 'Dat maakt Brin uit,' zei ze. 'Brin is de leider. Niet jij.'

Kieks kreunde woedend. 'Ik ben de oudste,' siste ze.

'Ik weet het meest! Ik heb het meest gezien! Het meest van iedereen hier.'

'Brin is de baas,' zei Branda. 'Ik doe wat hij zegt.'

'Omdat het je vader is!' siste Kieks haar na.

Voorbij de scheefstaande bomen stond haar vader te wachten. Branda draaide zich om, zodat hij Ubbo van haar rug kon halen.

'Nu Fenne,' zei hij. 'Ik breng Ubbo naar het vuur. Als jij eerder terug bent leg je Fenne hier neer en haal je Tabbe.'

Branda haastte zich naar de hut terug. Ze keek even angstig omhoog, naar de twee tegen elkaar gevallen bomen. Als ik de leider was zou ik eerst Tabbe halen, dacht ze. Die is dan wel mank, maar hij kan het weer voorspellen. Hij weet ook wanneer we moeten zaaien en oogsten. Zonder Tabbe zouden we vaak honger en kou lijden. Aan Fenne hebben we veel minder. Ze dook de hut weer in en plonsde naar Fenne toe. Die leek te slapen. Branda legde haar hand op haar keel. Zodra ze een hartslag voelde trok ze Fenne over haar schouders en liep ze naar buiten.

Zo bracht Branda de een na de ander in veiligheid. Kieks was de laatste. Ze keek woedend toen Branda haar op haar rug trok. Toen ze eenmaal buiten liepen begon Kieks luid te mopperen. 'Omdat ik oud ben, ben ik nog niet waardeloos! Brin zal hier meer van horen! Ik heb hem leren lopen! Ik heb hem leren vissen! En nu brengt hij mij als laatste in veiligheid! Nog na

Tabbe, die niet goed meer kan lopen! Dat had anders-
om moeten zijn. Eerst ik eruit, en dan Tabbe als laatste. Maar ja, mannen onder elkaar hè? Die kijken niet
naar wat belangrijk voor de groep is. Die helpen eerst
elkaar en dan pas de anderen. Nou, hij zal het merken!
Kieks is wel oud, maar nog lang niet zwak!'
Branda lette niet op het gemopper. Ze liep zo snel ze
kon onder de scheefstaande bomen door. Ze was er
nog niet voorbij toen ze luid gekraak hoorde. Ze wilde
omhoog kijken, maar beheerste zich. Niet kijken,
dacht ze. Doorlopen!
Dat was goed gedacht. Op het moment dat Branda de
bomen passeerde, vielen ze krakend om. Een hartslag
later dreunden ze tegen de grond. Branda keek om.
Een van de bomen was boven op de hut gevallen.
Dwars door het dak dat door de klap in twee stukken
werd gespleten. Kieks hield meteen op met mopperen. Ze klopte Branda op haar schouder. 'De goden
zijn met je, kind.'

2. De warmte komt terug

Branda had een armvol brandhout dat droog geble-ven was uit de hut gehaald. Ze gooide de takken in het vuur. De vlammen knetterden. Ze keek de kring rond. Er kwam weer kleur op de gezichten. Ubbo en Eddo leken al bijna hersteld. Kieks en Tabbe zagen nog wit, maar bewogen hun vingers en hun voeten heen en weer. Alleen Fenne zat er nog beweginloos bij. Ze had een bleekblauw gezicht.

Brin zag het ook. 'Ubbo en Eddo? Als jullie opge-warmd zijn gaan Fenne en Kieks op jullie plaatsen zit-ten. Begrepen?'

De jongens schoven meteen op.

Brin pakte Fenne onder haar armen en tilde haar naar de plek waar het vuur de meeste warmte gaf. Hij knik-te naar Tabbe. 'Let jij op het vuur? Branda en ik gaan het eten uit de hut halen. Wat gaat het weer doen? Komt er regen?'

Tabbe voorspelde het weer. Dat deed hij sinds hij mank was geworden. Een vallende boom was op zijn been terechtgekomen. Dat was gebroken en weer aan-gegroeid, maar stond nu wel scheef. Tabbe kon sinds-dien aan zijn been voelen of het ging regenen of stor-men. Branda keek hem aan. Wat zou hij dit keer voor-spellen?

'Het wordt zonnig weer,' zei Tabbe langzaam. 'Ik denk dat de winter voorbij is, Brin. We hebben het

met zijn allen gehaald.'
Rond het vuur keek iedereen elkaar opgelucht aan.
Brin knikte. Hij keek de kring rond. Toen hij zich omdraaide zag Branda aan zijn gezicht dat hij niet echt vrolijk was.

'Kieks was kwaad,' zei Branda toen ze met Brin naar de half ingestorte hut liep. 'Ze mopperde aan één stuk door. Ze kan het niet hebben dat ze als laatste uit de hut werd gehaald.'
Brin knikte. 'Kieks is altijd kwaad,' zei hij. 'En ze kan nooit iets hebben. Maar waarom ben jij midden in de nacht uit de hut gevlucht? Ik zei toch dat we bij elkaar moesten blijven?'
Branda boog haar hoofd. 'Ik voelde het water komen. En waar ik sliep waaide opeens een groot stuk uit de hut. Toen dacht ik …'
'Voortaan doen wat ik zeg,' zei Brin.
Branda voelde zijn hand op haar schouder. 'Was jij maar een zoon geweest. Dan had ik nu minder zorgen.'
Branda hoorde haar vader zuchten. Ze wist van het probleem. De groep had geen jonge mannen. Eddo en Ubbo waren nog kinderen. Alleen haar vader was sterk genoeg om een boom om te hakken en een hut te bouwen. Haar moeder was ook sterk. Maar zij was vorig jaar, vlak voor de eerste winterstormen, verdwenen. Zou ze nog leven?
'Vader?'
Haar vader raadde haar gedachten.

17

'Ik voel dat je moeder nog leeft,' zei hij. 'Ik denk dat ze verdwaald is. Laten we een grote snoek vangen en die offeren. Je moeder is in verwachting, Branda. Misschien krijg je deze zomer een broer.'
Branda glimlachte. Een broer! Meteen daarna werd ze weer verdrietig. Zou haar moeder terugkomen? En wanneer? Branda voelde zich eenzaam. Het afgelopen jaar waren Tinno en Wisse vertrokken. Zij waren sterke, jonge mannen en ze konden uitstekend vissen. Ze verlieten de groep voor twee jonge vrouwen van een andere groep. Het was een zware slag voor de groep van Brin. Maar het ergste vond Branda zelf dat ze hun jongere zus Marri meegenomen hadden. Marri was haar vriendin. Toen Marri wegging had ze haar moeder nog, maar nu had ze niemand meer.

Branda klom over de omgevallen bomen heen. In de hut was het water weer gezakt, maar alles was bedekt met een laagje modder. Met haar vader bracht ze de kruiken bier en de zakken met gerstemeel en zaaizaad naar buiten. In het daglicht zagen ze dat het meel bedorven was.
'We moeten voorlopig van de jacht leven,' zei Brin.
Het zaaizaad was gelukkig nog wel goed. Ze legden het in de zon om te drogen. Daarna sloopten ze de hut. De palen en balken die nog heel waren legden ze apart. Het kapotte hout gooiden ze op een hoop.
Terwijl ze werkten kwam Brin vanzelf in een beter humeur. Hij floot en neuriede, en toen een groot stuk van het dak nog heel bleek te zijn, begon hij zelfs te zin-

gen.

'Eenden en ganzen, druipend van vet,
drie grote snoeken, vast in mijn net.'

Branda grinnikte. Toen voelde ze haar maag rammelen.

'Honger,' zei ze.

Brin knikte. 'Ga kijken of er iets in de fuiken zit. Aan deze kant zullen ze weggespoeld zijn, maar de fuiken die uit de wind stonden zijn er waarschijnlijk nog.'

Branda liep langs de waterkant. De fuiken die vlak naast de hut hadden gestaan waren verdwenen. Het water stond hoog. De heuvel verderop was helemaal verdwenen, er stak alleen een boom boven het glinsterende water uit. Als we daar gewoond hadden, zouden we allemaal verdronken zijn, dacht Branda. Ze huiverde. Ze liep de woonheuvel rond. Overal zag ze water, de overkant van de rivier was niet meer te zien. Hier en daar dreven bomen die door de storm waren omgeblazen. De fuiken aan de andere kant stonden er nog. Branda trok er één omhoog. Ze zag een grote snoek, wat baarzen en een vis die ze niet kende. De vissen spartelden toen ze uit het water werden getild. Branda voelde water in haar nek spatten. Ze grinnikte erom. Er was genoeg te eten!

Kieks en Fenne maakten de vissen schoon. Het lijkt wel een wedstrijd, dacht Branda. Moet je die twee zien werken. De stukken vliegen eraf!

'Zie je wel,' zei Kieks, die het eerste klaar was. 'Ik

had eerder gered moeten worden. In elk geval eerder dan Fenne.'

Fenne keek naar de vis die Kieks had schoongemaakt. 'Er zitten nog schubben bij de staart,' zei ze.

'Bovendien is die vis van mij veel groter. Moet je kijken, het scheelt de helft.'

'De helft? Je liegt dat je blauw ziet. Hier heb je de andere helft, pak aan!'

Kieks had haar vis bij de staart gepakt en sloeg er Fenne mee in haar gezicht. Die pakte haar vis ook beet en wilde uithalen. Brin kwam tussenbeide.

'Ophouden jullie! Rooster die vissen en eet tot je niet meer kan. En dan komt iedereen meehelpen. Voor het donker wordt, moet de hut weer zijn opgebouwd!'

De twee vrouwen aten zwijgend en keken stuurs voor zich uit. De anderen hadden wel plezier. Ubbo en Eddo waren na het eten al snel weer de oude. Ze renden achter elkaar aan en bekogelden elkaar met vissenkoppen. Tabbe en Brin zochten samen een plek uit voor de nieuwe hut. Branda en Fenne wasten de modder van de geitenvellen en de dekens van beverbont. Daarna hingen ze de dekens over een grote boomtak, zodat ze konden drogen.

Al ruim voor het donker werd stond er weer een hut. Kleiner dan de vorige, maar groot genoeg om met zijn allen droog te zitten, als het zou gaan regenen. Brin zette zijn handen in zijn zij en keek tevreden. Tabbe keek naar de lucht. Hij wees omhoog.

'Kijk,' zei hij. 'De ganzen trekken naar het noorden.'

'Wat betekent dat?' vroeg Eddo nieuwsgierig. Tabbe keek zijn zoontje glimlachend aan. Hij haalde zijn hand door de bos blonde krullen.

'Dat betekent dat het voorjaar er aankomt.'

'En wat betekent dat?' vroeg Eddo.

'Dat betekent dat we straks weer eieren eten, en daarna appels.'

'En wat betekent dat?' vroeg Eddo weer.

'Dat jij groot en sterk wordt,' zei Tabbe.

'En wat betekent dat?'

'Dat het tijd is voor een lekker koud bad.' Tabbe pakte Eddo met een snelle greep beet, tilde hem boven zijn hoofd en hinkte naar de waterkant.

'Nee, niet doen!' gilde Eddo.

3. MATS DE VUURSTEENMAN

Een paar dagen lang was iedereen druk bezig met repareren. Branda maakte een nieuwe fuik. Toen ze hem uit ging zetten zag ze dat het water flink gezakt was. Je kon al bijna van de woonheuvel naar het bos lopen. Rondom blonk de modder in de zon. Over tien of twintig dagen is alles groen, wist Branda. Dan komen eerst de kieviten en dan de eenden.

Branda duwde de stok zo diep ze kon in de bodem van de rivier. In de spiegeling van het water zag ze haar gezicht. Het viel haar mee. Haar huid was glad. Ze had grote ogen met rechte wenkbrauwen erboven. Haar haar was rood en viel in golven op haar schouders. Het komt door Kieks, dacht Branda. Als ik lang naar Kieks kijk, denk ik dat ik ook zo'n kop heb. Met allemaal rimpels, felle ogen en ingevallen wangen. Maar dat heb ik helemaal niet. Ik heb…

Een luide plons rukte Branda uit haar gedachten weg. Water spatte in haar gezicht. Ze keek geschrokken op. Kieks stond schuin achter haar. Ze had haar handen in haar zij.

'Wat keek je? Denk je soms dat je knap bent? Dat gaat weg, hoor!'

Branda keek naar het humeurige gezicht van Kieks.

'Dat klopt, Kieks. Het gaat inderdaad weg.'

Kieks' gezicht betrok. 'Heb je geen eerbied voor de ouderen? Brutaal kind!'

'Zeg dat wel! Maar je moet toegeven Kieks: ze heeft scherpe ogen! Hahaha! Scherpe ogen en een scherpe tong!' Branda keek verbaasd om. Op het paadje dat naar de hut leidde stond een brede man met lichtgeel haar. Hij stak zijn hand op. 'Ik ben Mats,' zei hij. 'Ben jij de dochter van Brin?'

Branda knikte. Ze had hem eerder gezien, maar wanneer? De man glimlachte en liet zijn hand zakken. 'Sprekend je moeder,' zei hij. 'Waar is Brin?'

Branda wees. De vreemdeling keek in de richting van een bosje dicht op elkaar staande bomen. 'Wil je hem halen? Zeg maar dat Mats de vuursteenman er is.'

Een tijdje later zaten Brin en Mats om het vuur. Aan het spit zat een wilde gans. Branda schonk de kommen vol bier. Ze keek naar de lap stof die op de grond was uitgespreid. Er lagen vuurstenen op, grote en kleine.

'Kijk,' zei Mats. 'Een prachtige bijl. Het steelgat zit er al in. Je hoeft er alleen nog een stevige stok door te steken. Je mag hem hebben voor zes bevervellen, een koopje. En kijk hier, pijlpunten en schraapstenen om dierenvellen mee schoon te maken. Een bevervel per stuk, of twee voor drie ottervellen. Messen heb ik ook, maar die zijn duur. Daar moet ik tien bevervellen voor hebben.'

'Mooi,' zei Brin.

Mats keek hem verbaasd aan.

'Dat mes dat ik vorig jaar van je kocht brak al meteen doormidden,' ging Brin verder. 'Ik krijg dus tien be-

24

vervellen van je terug.'

Het duurde even voor Mats iets terug kon zeggen. 'Brak het doormidden? Wat deed je er dan mee? Een eik omhakken?'

Brin schudde zijn hoofd. 'Ik stak er een haas mee. Het mes brak af in mijn handen.'

Mats slikte en keek moeilijk. 'De stukken heb je zeker weggegooid?'

Brin schudde zijn hoofd. Hij voelde onder zijn vest en haalde twee stukken vuursteen te voorschijn.

'Hier.' Brin wees naar een plek op het breukvlak.

'Daar is de zwakke plek. Het was een slechte steen, daarom brak hij. Niet omdat ik iets doms deed.'

Mats keek even naar de lucht. Hij schraapte zijn keel. Branda schonk de kommen weer vol met bier.

'Van de vuursteenmijn naar hier is het zeven dagen lopen,' zei Mats langzaam. 'Dwars door een gevaarlijk bos ben ik gekomen. Een bos zonder voetpaden. Overal zijn troepen wolven en vijandige stammen die korte metten maken met vreemdelingen. Een gevaarlijke tocht was het.'

Brin knikte. 'Om tien bevers te vangen ben ik dertig dagen in de weer. Eerst moet ik vallen zetten. Dan elke dag kijken of er een bever in zit. Soms zak je door het ijs. Een andere keer zak je bijna weg in de modder. En kijk ...'

Brin stak zijn rechterhand omhoog. Van zijn middelste vinger was de helft weg. 'Soms denk je dat je een bever hebt, maar dan heeft de bever jou.'

Mats zuchtte. 'Half om half?' vroeg hij voorzichtig.

Brin schudde zijn hoofd. 'Dit was een rotmes. En ik heb er zeven bevervellen voor betaald. Die wil ik terug hebben, of een ander mes.'

Mats zuchtte nog een keer. 'Dat moet dan maar,' zei hij. 'Maar koop dan wel wat pijlpunten en schraapstenen, anders kom ik niet meer.'

Brin kocht flink wat vuurstenen. Het gezicht van Mats klaarde weer een beetje op. Branda moest haar glimlach verbergen. Ze wist wel waarom Brin zo veel kocht. Er waren deze winter heel veel bevers gevangen. Als Brin zoveel mogelijk pelzen voor vuurstenen omruilde, kon hij die vuurstenen later weer ruilen voor honing of wol. Ze schonk de kommen opnieuw vol. De mannen dronken met grote slokken.

Branda prikte met een scherpe stok in de gans die boven het vuur hing. 'De gans is gaar,' zei ze.

Brin draaide er een poot af en gaf die aan Mats. 'Op je gezondheid,' zei hij. 'En dat we nog veel zaken mogen doen.'

'Ga je nu naar de woonheuvel verderop?' vroeg Brin toen ze klaar waren met eten.

Mats knikte. 'Ik loop de kust langs tot de eilanden in het noorden. Dan kom ik eerst naar hier terug. En daarna ga ik weer naar de vuursteenmijn. Nieuwe stenen halen.'

Brin knikte. 'Goeie reis. Ik zal een kruik bier voor je bewaren.'

Mats grijnsde. 'Die zalm die je vorig jaar had smaakte ook goed.'

Brin keek naar de lucht. 'Als de goden het willen, eten we straks weer een zalm.'

Toen Mats afscheid nam, ging Branda verder met fuiken vlechten. Ze pakte een bos dunne twijgen en vlocht ze in elkaar. Af en toe keek ze op van haar werk. Haar ogen volgden de eenzame figuur die langs de oever van de rivier liep. Toen hij in de bocht verdween, zag ze een hoofd boven de struiken uitkomen. Het keek de vuursteenhandelaar na. Toen draaide het hoofd om. Het was een meisje met sneeuwwit haar. Branda voelde haar hart overslaan. Wie zou dat zijn? Zou ze hierheen komen?

Het meisje kwam inderdaad naar Branda toe. Haar haar was in een streng gevlochten en hing over haar schouder. Ze had een breed gezicht. Haar ogen waren groen en fonkelden. Wat heeft ze een plat achterhoofd, dacht Branda. Ze stak haar hand op. Het meisje stond stil en liet haar handpalmen zien, ten teken dat ze geen kwade bedoelingen had. Branda wenkte haar. Ze draaide zich om. Waar was haar vader? Ze zag hem bij Tabbe zitten. De twee mannen keken naar een zwerm vogels in de lucht. Branda zette haar handen aan haar mond.

'Vader! We hebben weer bezoek!'

27

4. DE VRAGENRONDE

'Ik heet Lodi. Ik kom uit de bossen in het oosten, vier dagen lopen van hier.'

Het meisje keek de kring rond. Brin en Tabbe stonden voor haar. De anderen stonden in een kring om haar heen. Tabbe stelde een nieuwe vraag. 'Waarom ben je alleen? Heeft je groep je verstoten?'

Het meisje boog haar hoofd. 'Ik wilde niet gehoorzamen,' zei ze met zachte stem.

Branda glimlachte. Ze zag dat Kieks en Fenne het meisje argwanend bekeken. Zelf vond ze haar meteen aardig.

'Wil je hier blijven?' vroeg Brin.

Lodi zweeg. Brin stelde de vraag nog een keer. 'Wil je hier blijven? Je moet wel antwoord geven, anders jagen we je weg.'

Het meisje knikte. 'Ik heb honger. Ik heb drie dagen gelopen zonder iets te eten. En ik heb niet veel geslapen.'

Brin knikte. 'Je mag hier twee nachten blijven.'

Branda keek haar vader teleurgesteld aan. 'Twee nachten maar? Waarom zo kort?'

Brin keek nors terug. 'Omdat ik niet weet of zij geluk brengt of ongeluk. Als na twee dagen blijkt dat zij ons geluk brengt, dan zien we wel verder.'

Branda maakte een groot vuur. Ze zou er in elk geval voor zorgen dat Lodi goed te eten kreeg. En ze zou haar best doen om voor elkaar te krijgen dat ze langer zou mogen blijven.

'Kun jij iets bijzonders?' vroeg ze aan Lodi. 'Iets wat wij niet kunnen?'

'Ik kan vogels vangen met een slinger. Kunnen jullie dat?'

Branda knikte.

Lodi noemde meer dingen op. 'Linzen planten? Wol weven en huiden schoonmaken?'

Branda schudde haar hoofd. 'Dat kunnen wij ook. Kun je regen laten stoppen? Of buikpijn genezen? Ubbo heeft vaak buikpijn. Als je hem van zijn buik-pijn geneest, mag je vast langer blijven.'

Lodi schudde haar hoofd.

Branda kon zien dat Lodi honger had. Ze at met grote, snelle happen van de geroosterde gans. Pas toen ze een heel stuk op had, ging ze langzamer eten.

'Lekker,' zei ze. Ze klopte op haar buik en liet een boertje. 'Eten jullie dit vaak?'

Branda knikte. 'In de winter wel. Dan is er niet veel anders. Hazen en wilde ganzen. Otters en bevers van-gen we om de pelzen, maar die eten we niet. Die sma-ken vies.'

Lodi knikte. 'En herten?' vroeg ze. 'Eten jullie wel eens herten?'

'Heel soms,' zei Branda. 'Ik weet wel dat het vlees lekker is. Maar er zijn hier niet veel herten. Tabbe zegt dat het komt doordat het land steeds vaker onder water stroomt.'

'Hoe komt dat?' wilde Lodi weten.

Branda dacht na. Ze wist wel hoe dat kwam, Tabbe had het laatst verteld. Er was een oppergod en er was een dondergod. En daarbij waren er nog drie belangrijke goden. De god van het water, de god van de wind en de god van de aarde. Al die goden streden met elkaar om de macht. Als de god van het water won, liep het land onder. Maar was het handig om dit zelf aan Lodi te vertellen? Konden ze niet beter naar Tabbe toe gaan om te vragen hoe het ook alweer in elkaar zat? Misschien vond Tabbe Lodi aardig. Dan kon hij bij Brin een goed woordje voor haar doen.

'Ga zitten,' zei Tabbe trots. 'Dan zal ik het haarfijn uitleggen. Er zijn drie belangrijke goden. Die …'
Tabbe begon druk te vertellen, maar Branda lette niet op zijn woorden. Ze lette op zijn gezicht. Daar kwam vuur in, zag ze. Tabbes ogen flonkerden. Zijn wangen kleurden rood. Tabbe bewoog druk met zijn armen, wees naar de lucht en dan weer naar het water van de rivier.
'Het is een eeuwige strijd. De ene keer werken de god van de wind en de god van het water samen. Dan stroomt alles onder. Alles! De andere keer sluiten de god van de aarde en de god van de wind samen een verbond. Dan trekt het water ver terug. Soms valt de rivier zelfs droog en spartelen de vissen in de modderpoelen.'
Lodi luisterde ademloos. Ze stak voorzichtig haar hand op. Tabbe knikte vriendelijk.
'Wil je wat vragen?'

'Wat voor offers brengen jullie? Offers aan de goden, bedoel ik.'

'Dat hangt ervan af welke god wij gunstig willen stemmen,' zei Tabbe. 'Als het in de zomer heel lang niet regent, offeren wij aan de god van het water. Een grote snoek, een zalm, of een steur. Als wij de god van de wind gunstig willen stemmen, offeren wij een gans of een andere grote vogel. En aan de god van de aarde offeren wij brood, appels en linzensoep.'

Branda keek Lodi aan. Die keek opgelucht. Het leek of er een last van haar was afgevallen. Branda fronste haar wenkbrauwen. Lodi verzwijgt iets, dacht ze. Ze is ergens bang voor. Maar waarvoor?

Toen Tabbe alles had uitgelegd gingen Lodi en Branda met Eddo en Ubbo spelen. Eddo en Ubbo mochten op hun rug zitten en moesten elkaar met een zak stro proberen te raken. De jongens werden wild van plezier. Ze sloegen als dollen op elkaar in. Ze schreeuwden, zongen en toen Branda en Lodi er even mee ophielden sprongen ze op en neer van opwinding. Maar toen Brin kwam kijken was het spel afgelopen.

'Is er al eten voor vanavond?' vroeg hij bars.

Branda boog haar hoofd.

'Opschieten dan,' zei Brin.

'Wat eet je vader het liefst?' vroeg Lodi.

'Eend,' antwoordde Branda. 'En snoek vindt hij ook lekker.' Ze keek naar de zon. Die was al aan het dalen. Branda zuchtte. Lodi legde haar hand op haar schouder.

'Maak jij een vuur? Dan zorg ik voor het eten. Mag ik die paar vogelveren pakken?'

Lodi wees naar een hoopje donsveertjes. Ze waren van de wilde gans die Brin en de vuursteenhandelaar hadden gegeten. Branda knikte. Ze was verbaasd, maar vroeg niet verder.

Even later keek Branda nog veel verbaasder. Het vuur brandde nog maar net en Lodi kwam al met een snoek in haar armen aanlopen. Ze gaf hem aan Branda en glimlachte trots.

'Ik ga kijken of ik een eend kan vangen. Als dat niet lukt, breng ik straks nog een tweede snoek. Is dat goed?'

Branda knikte met open mond. Wat was dit? Kon Lodi soms toveren? Of was zij de jager uit het verhaal van Kieks? De jager op wie alle dieren af renden omdat ze zo graag door hem opgegeten wilden worden?

Lodi verdween achter een elzenbosje. Branda legde de snoek op de grond en bekeek hem goed. Ze zag nergens een steekwond of beschadigde schubben. Lodi had de vis dus niet met een speer of een gevorkte stok gevangen. Maar hoe dan? Ze bekeek de snoek heel aandachtig, maar ze zag niets. Alleen een klein gaatje boven in zijn bek. Ze draaide haar hoofd naar het bosje. Ik ga kijken hoe Lodi dit doet, dacht ze.

Branda kwam net op tijd om te zien hoe Lodi een eend ving. Ze stond achter een bosje riet en zwaaide met haar ene hand een touw door de lucht waaraan

een steen zat. Met haar andere hand gooide ze een kluit in het water, vlak achter een troep eenden. Die schrokken en stoven luid kwakend en met hun vleugels klapperend uit het water omhoog. Toen ze op manshoogte boven de oever vlogen, liet Lodi de rondzwaaiende steen los. Aan het andere eind van het touw zat ook een steen. De beide stenen en het touw vlogen al draaiend door de troep eenden. Die doken opzij voor de eerste steen en werden toen geraakt door de tweede. Een eend viel met het touw rond zijn nek in het water vlak bij de oever. Lodi rende erheen en greep de eend beet.

Branda klapte in haar handen. 'Wat goed!' riep ze. 'Hoe doe je dat?'

Lodi keek op. Eerst leek ze te schrikken. Toen begon ze te glimlachen. 'Met een slinger,' zei ze. 'Maar dat doen jullie toch ook?'

Branda schudde haar hoofd. 'Wij slingeren één steen naar de eenden. Jij gooit twee stenen en een touw. Is dat moeilijk om te leren?'

Lodi haalde haar schouders op. 'Als er zo veel eenden zijn als hier is het makkelijk. Zullen we er samen nog een vangen? Dan laat ik ze schrikken. Als ze vlak bij de oever vliegen, gooi jij de slinger door de zwerm heen. Goed?'

Branda schudde haar hoofd. 'We moeten opschieten,' zei ze. 'Gooi jij maar, dan laat ik ze schrikken. Dan leer ik het gooien morgen wel.'

Toen de groep om het vuur zat deelde Branda de geroosterde snoek en de geroosterde eenden rond. Ze had gehoopt dat Brin nu vriendelijker tegen Lodi zou zijn. Dat was niet zo. Brin at zwijgend. Toen hij gegeten had, stond hij op en liep zonder iets te zeggen naar de hut. Branda keek teleurgesteld naar Tabbe. Die maakte een gebaar dat hij er ook niets aan kon doen.
'Blijf een beetje bij je vader uit de buurt,' zei Tabbe zacht, toen Fenne en Kieks naar de hut liepen. 'Hij vertrouwt Lodi nog niet helemaal. Hij denkt dat ze iets verzwijgt.'

Die nacht sliepen Lodi en Branda buiten, bij het vuur. Gelukkig regende het niet.

5. Opnieuw noodweer

Toen Branda de volgende ochtend wakker werd, was het nog donker. Ze draaide zich om naar Lodi. Die was weg. Branda schoot meteen overeind. Weg?

Ze is vast beledigd, dacht Branda. Ze denkt dat ze straks wordt weggestuurd. Daarom is ze stiekem uit zichzelf weggegaan. Branda kreeg een brok in haar keel. Ze ging weer liggen. Ze voelde tranen in haar ogen opkomen en zuchtte. Boven haar flonkerden sterren. De meeste sterren stonden in groepjes bij elkaar, maar één ster stond helemaal alleen aan de hemel. Net zo alleen als ik, dacht Branda. Toen hoorde ze een zacht geritsel. Ze keek om en zag dat Lodi kwam aanlopen. Branda deed haar ogen dicht. Ze hoorde dat Lodi voorzichtig onder haar deken kroop. Daarna werd het stil.

Branda voelde zich verraden. Ze hielp Lodi waar ze kon, en als dank deed Lodi stiekem. Ze had zich voorgenomen om Lodi verder links te laten liggen. Dat lukte niet. Ze snapte zelf niet hoe het kon, maar meteen na het opstaan praatte ze al weer honderduit. Ze maakten linzensoep. Ubbo en Eddo wilden, zodra ze gegeten hadden, weer spelletjes doen.

'Strozak meppen! Strozak meppen!' schreeuwden ze. Ze dansten om Lodi heen.

Brin keek donker. 'Eerst gerst planten,' zei hij bars.

'En dan voor het middageten zorgen. Daarna mag er gespeeld worden.'

Tabbe stak zijn hand op.

'Spreek vrijuit,' zei Brin.

'Mijn been doet pijn,' zei Tabbe. 'Volgens mij zijn er nog meer regen en storm op komst. Als je nu gerst laat planten, ben je je zaaigoed kwijt, Brin. Je moet wachten tot de buien voorbij zijn.'

Brin keek Tabbe somber aan. 'Heb je verder nog wat op je hart?'

Tabbe knikte aarzelend. 'Onze gast is een aanwinst voor de groep. Ze weet manieren om eenden te vangen die wij niet kennen. En misschien weet ze nog veel meer. Als wij gastvrij tegen haar zijn, wil zij misschien langer blijven.'

Even was het stil. Toen begon Kieks te kijven. 'Langer blijven? Die witte heks? Niks daarvan! De goden moeten haar niet! Zij stuurden noodweer vooruit om ons voor haar te waarschuwen. En nu komt er nog veel meer noodweer. Morgen moet ze weg! Voor het te laat is!'

Branda voelde dat zij begon te trillen van verontwaardiging. Net als Tabbe een goed woordje voor Lodi doet, komt die oude wortelkop de boel verzieken. Branda deed haar mond open om Lodi te verdedigen, maar Fenne was haar voor.

'Ik weet waarom je zo'n hekel aan haar hebt. Omdat ze sneller is dan jij en omdat ze veel vangt. Jij bent gewoon bang dat ze belangrijker wordt dan jij. Want dat kan je niet hebben.'

Branda keek Fenne verbijsterd aan. Fenne zei bijna nooit iets. En nu zei ze opeens wat Branda zelf had willen zeggen. Precies hetzelfde! Kieks keek ook naar Fenne. Maar Kieks keek niet verbaasd. Branda zag dat de onderkaak van Kieks heen en weer begon te schuiven. Haar tanden knarsten. Haar ogen schoten vuur.

'Valse kraai! Dat zeg je alleen om mij dwars te zitten. Omdat ik je een klap met een vis gegeven heb!'

Fenne knikte. 'Inderdaad,' zei ze. 'Dat heb je goed gezien.'

Brin keek verbaasd om zich heen. Hij schudde met zijn hoofd. Toen klapte hij drie keer in zijn handen. 'Allemaal stoppen met ruzie maken,' zei hij. 'Branda, ga jij met Lodi eenden vangen en roosteren. Zorg dat we genoeg te eten hebben als het noodweer langer dan een dag duurt. Fenne, jij haalt de fuiken binnen. Leg ze ergens neer waar het water er niet bij kan. Kieks, jij maakt een kuil waarin de kruiken met bier en het zaaigoed bewaard kunnen worden. Tabbe, wij gaan de hut verstevigen.'

Ubbo en Eddo keken naar Brin. 'Moeten wij niks doen?' vroegen ze.

'Jullie gaan met Branda mee. Goed kijken, zodat jullie het straks ook kunnen.'

Branda zag dat Ubbo en Eddo vanaf dat moment alleen nog maar aandacht voor Lodi hadden. Met open monden keken ze toe hoe Lodi haar slinger rondzwaaide. Ze zagen de kluit, die vlak achter een troep

zwemmende eenden in het water plonsde. En ze zagen de ronddraaiende slinger keer op keer tussen de
wegvliegende eenden schieten.

Branda kon haar lachen bijna niet meer houden. Ubbo
en Eddo deden alles wat Lodi deed precies na. Ze
gooiden kluiten en zwaaiden met slingers, maar ze
trokken ook even aan het puntje van hun neus als ze
ergens over nadachten. Voordat ze gooiden, knipper-
den ze even met hun ogen. En als ze iets wilden zeggen, kuchten ze even. Net zoals Lodi deed. Toen Lodi
het doorkreeg, begon ze te grinniken. Ubbo en Eddo
probeerden net zo te grinniken. Waardoor Branda
haar lachen helemaal niet meer kon inhouden …

'Wat staan jullie te lachen? Is er …' Brin slikte zijn
woorden in, toen hij de rij eenden op de grond zag liggen.

'Hebben jullie ...'

Branda knikte trots. 'Ubbo en Eddo hebben er elk ook
een gevangen.'

'Ja,' zeiden Ubbo en Eddo tegelijk. 'Die ene, die daar
ligt.' Ze wezen elk de eend aan die ze gevangen hadden.

Brin knikte. Hij keek naar Branda.

Die kruiste haar armen voor haar borst en hield haar
hoofd schuin. 'Genoeg te eten,' zei ze. 'Dankzij Lodi.'

Brin keek naar Lodi. Even leek hij iets te willen zeggen. Toen knikte hij kort, draaide zich om en liep weg.

De voorspelling die Tabbe over het weer had gedaan
kwam uit. Branda had net de laatste vier eenden ge-

plukt en geroosterd toen ze in de verte gerommel hoorde. Vanuit het westen kwam een muur van zwarte wolken aandrijven. Er schoot een lichtflits door de lucht.

'Allemaal naar de hut,' riep Brin. 'Branda, doe nieuwe kooltjes in de vuurkorf. Voortmaken, er komt onweer!'

Terwijl Branda in het vuur naar gloeiende stukjes hout zocht, keek ze voortdurend naar de lucht. Het waaide niet. Toch kwamen de zwarte donderwolken razendsnel dichterbij. Hoe kon dat? Ze pakte snel een paar smeulende blokjes en stopte ze in de korf. Toen gebeurde het. Er klonk een dof geraas. Het geluid werd sterker en kwam dichterbij. Vlak voor haar neus begonnen de boomtoppen te schudden. Een paar tellen later werd Branda met reuzenkracht tegen de grond geblazen. Om haar heen werd alles fel verlicht. Boven haar hoofd klonk een donderende klap. Branda greep de vuurkorf, die was gaan rollen en de rivier in dreigde te waaien. Met alle kracht die ze in zich had kroop ze tegen de bulderende storm in naar de hut.

De hut schudde heen en weer. Alles kraakte. Een nieuwe donderslag werd meteen gevolgd door het geroffel van een regenbui. Het water woei door de kieren van de hut naar binnen. Met een krakend geluid werd een stuk van het dak gerukt. Branda keek geschrokken omhoog. Ze voelde dikke druppels op haar gezicht spatten. Gelukkig is het niet koud, dacht ze. Ze trok de deken van bevervellen dichter om zich heen en keek angstig rond. Ze zag dat Ubbo en Eddo in hun dekens zaten weggedoken. Tabbe wreef met een pijnlijk gezicht over zijn manke been. Fenne keek naar de grond voor haar voeten. Een klein stroompje water kwam onder de wand van de hut door naar binnen. Brin en Kieks keken naar Lodi. Hun blikken voorspelden niet veel goeds. Weer rommelde de donder. Een bliksemflits sloeg krakend vlakbij in. Meteen daarop dreunde de donder.

'Nu is het genoeg!' schreeuwde Brin tegen Lodi. 'Zie je wel dat je ongeluk brengt! De hut uit! Nu meteen!'

Branda was even te verbaasd om iets te doen. Ze zat als aan de grond genageld en keek naar Lodi. Die sloeg een deken om zich heen en stapte met gebogen hoofd naar buiten, de storm in.

Branda keek haar vader aan. 'Dat mag niet,' schreeuwde ze. 'Ze is onze gast!'

Haar vader keek terug. 'Ze brengt ongeluk. En jij moet niet zo tegen mij schreeuwen.'

Branda tintelde van woede. 'Ik zeg niks meer!'

Ze sloeg haar deken om zich heen en ging achter Lodi aan. Achter zich hoorde ze de krassende stem van Kieks.

'Gehoorzaam je vader! Eigenzinnig wicht!'

Branda draaide zich om. 'Hou jij je valse praatjes maar voor je! Jaloerse wortelkop!'

Buiten smeet de storm Branda bijna de heuvel af. De bomen stonden te schudden. Takken vlogen door de lucht. Waar was Lodi? Branda zette haar handen aan haar mond. Net toen ze wilde roepen, zag ze een grote tak liggen. Er staken benen onderuit.

'Lodi!'

Branda worstelde tegen de wind in naar de tak. Ze trok hem met één ruk opzij. 'Lodi! Ben je …'

Lodi draaide zich om. Branda zag dat ze niet gewond was. Ze haalde opgelucht adem. Toen zag ze de tranen, die over Lodi's wangen rolden. Ze ging naast Lodi op de grond zitten en sloeg een arm om haar heen.

'Ik help je,' zei ze. 'Je hoeft niet weg. En als je wel weg moet, gaan we samen.'

6. Lodi vertelt haar geheim

De storm duurde gelukkig niet lang. Nog voor het avond werd ging de wind liggen. Branda en Lodi kropen overeind. Vanuit de hut klonken stemmen.
'Ze hebben ruzie,' zei Lodi.
Branda spitste haar oren.
'We moeten haar de heuvel afjagen! Anders gaan we allemaal ten onder!' Dat was Kieks.
'Sinds zij hier is hebben we anders genoeg te eten.' Dat was de stem van Tabbe.
'Lodi moet blijven! Lodi moet blijven!' riepen Ubbo en Eddo door elkaar.
De zware stem van Brin onderbrak hen. 'Stil jullie! Tabbe, geef jij je mening. Ben ik gek of niet?'
Even bleef het stil. Toen hoorde Branda de trage stem van Tabbe. 'Het gaat er niet om of je gek bent, Brin. Het gaat erom of je een verstandig besluit hebt genomen door Lodi weg te sturen.'
'Ja, en? Heb ik een verstandig besluit genomen?'
Weer bleef het even stil. Toen zei Tabbe: 'Laten we daar vanavond rustig over vergaderen. Ik zal mijn notendoppen lezen. Ik zal de vlucht van de vogels schouwen. En vanavond geef ik mijn mening. In alle rust.'

Maar voor het avond was kreeg de groep opnieuw bezoek. Het was Mats. Brin keek hem verwonderd aan.
'Wat ben je snel terug. Meestal ben je veel langer on-

derweg. Is er iets gebeurd?'

Mats plukte aan zijn stoppelbaard. 'Ik kan je bevervellen met niemand ruilen. Overal waar ik kom hebben ze stapels van die vellen. Iedereen zegt dat er nog nooit zo veel bevers zijn geweest als afgelopen winter.'

Brin knikte. 'Ik heb goed gevangen,' zei hij. 'Maar je kunt de vellen toch ruilen met groepen die in het bos wonen? Daar is geen water. En waar geen water is, zijn ook geen bevers.'

Mats keek om zich heen alsof hij iets zocht. Branda keek ook rond. Waar is Lodi, dacht ze opeens. Iedereen is er, behalve Lodi.

Mats schraapte zijn keel. 'Heb je nog bezoek gehad de afgelopen dagen?'

Branda hoorde een vreemde toon in zijn stem. Ze keek nog eens goed om zich heen. Lodi was nergens te zien.

'Bezoek?' zei Brin. 'Hoe bedoel je? Zijn er nog meer mensen die in vuurstenen handelen?'

Mats schudde snel met zijn hoofd. 'Nee, nee, ik bedoel, er is een meisje ontsnapt. Uit een groep die in de hoge venen woont. Ze was bestemd als offer voor de goden. Maar ze is ontsnapt en spoorloos verdwenen.'

Brin knikte langzaam. 'Dat is niet mooi. Maar waarom zoek je haar? Kunnen ze dat in de hoge venen niet zelf?'

Mats keek naar de grond.

'Of krijg je een beloning als je haar terugbrengt?' vroeg Brin.

Branda keek gespannen naar de anderen. Tabbe keek zwijgend voor zich uit. Ubbo en Eddo maakten met scherpe stokken tekens in de grond. Toen zag Branda dat Kieks haar mond open deed. Kieks keek naar Mats en wilde iets zeggen, maar nog voor ze een woord kon uitbrengen zwaaide Fenne een gebalde vuist voor haar ogen heen en weer. Branda keek snel naar Mats. Die had niets gemerkt. Kieks keek beledigd naar Fenne. Die keek zo dreigend terug dat ook Branda ervan schrok. Het leek of de ogen van Fenne vuur schoten. Brin en Mats stonden nog steeds tegenover elkaar.

'Ik krijg een paar geschenken voor de moeite,' zei Mats. 'Maar het gaat natuurlijk om de goden. Als die het beloofde offer niet krijgen, tja. Dan zal de wind blijven gieren. Het water zal het land overstromen. De oogst zal mislukken. De geiten en schapen zullen sterven. En de vissen en vogels zullen zich niet meer laten vangen. Zo is het nu eenmaal, vriend Brin. Zo, en niet anders.'

Brin knikte. 'De mensen uit de hoge venen kunnen toch een ander offer brengen? En waarom moet het een mens zijn? Offer liever een hert, of een everzwijn.'

Mats schudde zijn hoofd. 'Een jong mens is het hoogste offer. Behalve dan misschien een eh … nee, nee, laat maar.'

'Een wat?'

'Nee, niks. Een jong mens is het hoogste offer. Klaar.'

Branda zag dat haar vader nadenkend voor zich uit

45

keek. Duizend vragen spookten door haar hoofd. Waarom zegt hij niets over Lodi? Wat betekent het dat Lodi als offer was aangewezen? Ze zouden haar toch niet gaan slachten? Zou Lodi daarom zijn gevlucht? Omdat ze haar boven een vuur wilden roosteren? Maar waarom zei ze dat dan niet? Branda dacht na. Wat zou de beloning zijn, die Mats zo graag wilde hebben? Het moest wel iets groots zijn. Anders zou hij niet helemaal zijn teruggekomen. Maar wat?

De stem van haar vader haalde haar uit haar gedachten.
'Nee, vriend Mats. Ik kan je niet helpen. We hebben geen vreemd bezoek gehad, behalve dan van wat eenden en snoeken. Maar vertel nog eens van die vreemde vis, die ze vorig jaar op een woonheuvel een stuk verderop hebben gevangen. Woog die vis echt net zo veel als een volwassen kerel?'
Branda zag dat Mats haar vader wantrouwend aankeek. Maar hij vroeg niet verder. Mats vertelde over de vis. Die was zeven voet lang, koolzwart en had een snor. Het beest was reuzesterk; pas na een halve dag vechten gaf hij zich gewonnen. Na zijn verhaal at Mats een stuk van een geroosterde eend. Daarna trok hij weer verder. Branda keek hem na. Hij moest eens weten wie die eend gevangen heeft, dacht ze.

Pas lang nadat Mats uit het zicht was verdwenen riep Brin dat Lodi te voorschijn moest komen. Lodi kwam uit de struiken. Ze liep met gebogen hoofd naar Brin toe.

'Kijk mij aan en vertel je verhaal,' zei Brin.

Lodi boog haar hoofd nog dieper. Toen richtte ze zich op en keek Brin recht in zijn ogen. Ze haalde diep adem en begon te vertellen:

'De stam waar ik bij hoorde is groter dan deze groep. Vele malen groter. De volwassen mannen zijn niet op de vingers van twee handen te tellen. Het aantal vrouwen is nog groter. En elk jaar worden er wel een paar kinderen geboren, waarvan er ten minste één blijft leven. De stam heeft daarom veel voedsel nodig. Elk jaar kappen wij een stuk van het bos. Van het hout bouwen wij hutten. De grond gebruiken wij om erwten, gerst en linzen te planten. Daarbij houden wij schapen en geiten, die ons melk, vlees en wol geven. De dieren moeten gezond blijven. De planten mogen niet verdrogen of ziek worden, want dan komt er hongersnood. Wij moeten dus zorgen dat de goden tevreden over ons zijn. Meestal zijn zij dat ook. Maar het afgelopen jaar waren zij dat niet. Er brak hongersnood uit. Daarom besloot onze leider om dit voorjaar een bijzonder offer te brengen. Geen hert of een jong geitje, maar een jonge vrouw, die door het lot is aangewezen.'

Tabbe stak zijn hand op.

'Spreek vrijuit,' zei Brin.

'Aan welke god offeren jullie dan? Als drie goden met elkaar strijden om de macht, dan kan je toch niet aan één van de goden offeren en aan de andere twee niet?'

Lodi knikte. 'Wij offeren aan de god van het water, aan de god van de lucht en aan de god van de aarde. De jonge vrouw die is aangewezen zal driemaal worden geofferd.'

Tabbe keek alsof hij water zag branden. 'Maar hoe gaat dat dan?' vroeg hij.

Lodi vertelde verder. 'Het offer moet de drievoudige dood sterven. Zij wordt eerst opgehangen. Dat is voor de god van de lucht. Daarna wordt zij met een steen op haar hoofd geslagen. Dat is voor de god van de aarde. En daarna wordt zij in het moeras gegooid. Dat is voor de god van het water.'

Tabbe knikte. 'En dat aanwijzen? Hoe wisten jullie welke jonge vrouw er geofferd moest worden? Doet de leider van de stam dat? Of is dat een taak voor de voorspeller?'

Lodi haalde diep adem. 'Dat gaat zo. Er was een grote koek gebakken. In die koek zat een kiezelsteen verborgen. De koek werd verdeeld tussen de vrouwen die ouder zijn dan twaalf jaar, en die nog geen kinderen hebben gekregen. Ieder kreeg een even groot stuk. En wie de kiezelsteen trof, zou worden geofferd.'

Tabbe knikte. 'En jij trof de kiezelsteen, en toen …'

Brin viel hem in de rede. 'Dit gaat niet. Lodi, jij bent als offer voor de goden bestemd. Dan kunnen wij je geen bescherming geven. Als wij dat toch doen, zal de toorn van de goden ons treffen.'

Branda hield haar adem in. Zou Lodi toch weggestuurd worden? Branda keek de kring rond. Iedereen keek treurig naar Lodi. Iedereen, behalve Kieks. Die

knikte en trok een gezicht alsof ze het altijd wel gewe-
ten had.

Lodi schudde haar hoofd. 'De kiezelsteen zat niet in
mijn stuk koek. Ik heb zelfs helemaal geen koek gekregen.'

'Dat lieg je, wicht!' riep Kieks opeens. 'Dat zeg je alleen om onder je straf uit te komen!'

Nu werd de vergadering rumoerig. Brin en Tabbe
praatten druk tegen elkaar.

Fenne schold Kieks uit. 'Lelijk mispunt! Laat haar gewoon uitpraten! Wortelkop! Rare … rare kakfoeter!'

Eddo en Ubbo gingen Fenne helpen met scheldwoor-
den bedenken. 'Stronkhapper!' riepen ze. 'Nare ka-
kelteut!'

Branda keek woedend naar Kieks, en toen naar haar
vader. Die klapte in zijn handen en riep dat het stil
moest zijn. 'Vertel eens hoe het kwam dat je geen
koek kreeg. Waarom?'

'De dag voor de koek werd verdeeld moest ik hout
sprokkelen,' zei Lodi. Ze keek Brin recht in de ogen.
'Ik ging ver het bos in. Daar werd ik aangevallen door
wolven. Het waren er vijf. Ik klom in een boom, maar
de wolven bleven beneden zitten wachten. Dat duurde
twee dagen en twee nachten. Toen pas gingen ze weg.
Het duurde nog een hele tijd voor ik uit de boom durfde te klimmen. En daarna duurde het opnieuw een hele tijd voor ik bij mijn stam terug was. Daar hoorde ik
dat de koek al verdeeld was. Volgens de voorspeller
was ik door het lot aangewezen, maar mijn broer Errit

zei dat het niet waar was. Ona was aangewezen, de dochter van onze leider. Haar moeder heeft de voorspeller omgekocht.'

Lodi was uitgesproken. Volgens gebruik moest ze nu haar ogen neerslaan, maar dat deed ze niet. Ze bleef Brin recht in de ogen kijken. Die deed zijn mond open, maar hij zei niets. Hij bewoog onhandig met zijn armen en ging een paar keer van het ene been op het andere staan.

'Goed,' zei Brin ten slotte. 'Ik geloof je verhaal. Nu gaan Branda en jij voor het avondmaal zorgen. Tabbe, wij gaan de hut repareren. Daarna slapen we er een nacht over. Morgen, als de zon op zijn hoogst staat, houden we vergadering. Het gaat erom of Lodi mag blijven of dat we haar wegsturen. Tot die tijd wil ik er geen woord meer over horen. Van niemand! Begrepen?'

Branda zag dat haar vader boos naar Kieks keek. Die trok een gezicht en mopperde iets onverstaanbaars.

7. DE SCHAT VAN LODI

Branda en Lodi trokken eropuit om eenden uit de lucht te slingeren. Eddo en Ubbo wilden mee, maar dat mocht niet van Brin.
'Niks daarvan. Jullie gaan voer zoeken voor de geiten,' had hij gezegd.
Branda was daar blij om. Ze had vragen die ze aan Lodi wilde stellen. Maar ze had ook een vraag voor haar vader. Waarom had hij niet tegen Mats gezegd dat er wél bezoek was? En dat Lodi op de woonheuvel had overnacht? Ze wachtte even tot Kieks en Fenne naar het wilgenbosje liepen om twijgen te snijden. Toen stapte ze op haar vader af. 'Vader? Mag ik iets vragen?'
Haar vader knikte.
'Waarom zei je niets over Lodi tegen Mats?'
Branda zag dat haar vader aarzelde. Toen legde hij zijn hand op haar schouder. 'Jij staat aan Lodi's kant,' zei hij. 'Ik ga je niet vragen je vrienden te verraden. Maar Lodi verzwijgt iets. Ze heeft zojuist de waarheid gesproken, maar er is nóg iets. Anders zou Mats niet helemaal terug zijn gekomen. Er moet een grote beloning zijn, en die is er niet zomaar. Dus Mats verzwijgt ook iets. En je weet hoe ik over mensen denk die niet de waarheid spreken.'
Branda knikte. 'Ik ga aan het werk,' zei ze.
'Dat is je geraden,' zei haar vader. Voor het eerst in dagen grinnikte hij even.

Branda en Lodi vingen geen eenden. Het water van de rivier was weer gezakt. De stroom was smaller geworden, maar het water was wild. Het bruiste en spetterde, en overal staken vuurrode vinnen boven het water uit.

'Zalmen!' riep Branda. Ze zag dat Lodi haar verbaasd aankeek.

'De zalmen trekken elk jaar voorbij,' vertelde Branda. 'Ze zwemmen de rivier op, ik weet niet waarheen. Maar zo veel als nu heb ik er nog nooit gezien. Moet je kijken! De hele rivier zit vol!'

Terwijl ze naar de springende en duikende vissen keek, voelde Branda dat haar hart sneller ging slaan. Wat een geluk! Eten in overvloed, net nu er over Lodi vergaderd ging worden. Dit moest toch een heel goed voorteken zijn! Branda stapte naar de oever en sprong op een grote, platte steen die in het water lag. Ze ging op één knie zitten en pakte met haar hand een zalm onder zijn kieuwen. Toen ze de vis vast had, zwiepte ze hem door de lucht het land op, waar Lodi stond. Het was een flinke zalm. Genoeg voor Brin en Tabbe, dacht Branda. Hierna ving ze een nog iets grotere vis. Daar konden wel vier mensen van eten. Daarna ving ze een kleinere, voor Fenne en Kieks.

Even later waren Lodi en Branda druk bezig met het schoonmaken van de vissen. Af en toe keek Branda haar vriendin even aan. Wat zou Lodi verbergen? Zou ze het gewoon vragen?

Branda keek naar de schubben, die rond haar voeten

in het zand lagen. Ze blonken in het zonlicht. Tabbe zou er de toekomst uit kunnen voorspellen, dacht Branda. Dat kon hij ook uit notendoppen en uit vogel-zwermen. Zou Lodi mogen blijven? Branda keek aan-dachtig naar de schubben. Ze merkte niet dat ze, vanaf de overkant van de rivier, scherp in de gaten werd ge-houden …

De zalmen smaakten uitstekend. Toen iedereen had gegeten klapte Brin in zijn handen. Dat was het teken dat het avondmaal was afgelopen.
'Gaat het vannacht regenen?' vroeg Branda aan Tab-be.
Die schudde zijn hoofd.
'Gelukkig,' zei Branda. 'Dan gaan wij buiten slapen. Tot morgen vroeg en welterusten.' Ze pakte twee de-kens van beverhuiden en liep met Lodi naar een plek waar ze uit de wind zouden liggen.
Toen de zon onder was, werd de lucht meteen kouder. Branda rolde zich in haar warme deken. Ze keek naar de lucht. Weer zag ze overal sterren stralen. Duizen-den sterren waren het. Ze stonden in groepjes en vormden samen tekens in de lucht. Eén heldere ster stond helemaal alleen, maar dit keer dacht Branda niet dat zij net zo eenzaam was als die ster. Zij luister-de naar het ademen van Lodi. Lodi was haar vriendin. Ook al had ze een geheim. Maar welk geheim zou ze hebben? Branda kuchte. 'Lodi?' fluisterde ze. 'Ben je nog wakker?'
Lodi tilde haar hoofd op.

Branda begon zacht te praten. 'Hoe gaat dat? Als je geofferd wordt?'

'Je wordt heel mooi gemaakt,' antwoordde Lodi zacht. 'Je haar wordt geborsteld en er worden bloemen in gevlochten. Je wordt gewassen en je krijgt een heel fijn geweven kleed om. Dan mag je drie dagen niet eten. Je mag alleen water drinken.'

'En dan?' vroeg Branda.

'Dan word je geofferd.'

'Worden er ook jongens geofferd?' wilde Branda weten.

'Voorzover ik weet niet,' fluisterde Lodi. 'Ik ben drie keer bij een offerfeest geweest en het waren telkens jonge vrouwen. Vrouwen die nog geen kinderen hebben gekregen.'

Branda fronste haar wenkbrauwen. Wat een geluk dat onze groep geen mensenoffers brengt, dacht ze. Anders was ik het offer geweest.

'Branda?'

'Ja?' zei Branda zacht.

'Wat denk jij dat er morgen beslist wordt? Denk je dat ik bij de groep mag blijven?'

Branda haalde diep adem. 'Ik weet het niet goed,' zei ze. 'Mijn vader heeft iets tegen je. Hij denkt dat je een geheim achterhoudt.'

'O,' zei Lodi.

'Hou je een geheim achter?' vroeg Branda opeens.

Even was het stil. Toen begon Lodi te vertellen.

'Bij onze stam ging alles altijd eerlijk. Tot er op een

dag een man kwam. Die zei dat we geen vuurstenen meer hoefden te kopen. Hij had namelijk iets anders voor ons. Iets dat veel beter was. Het heette brons, en het was harder en scherper dan vuursteen en het glansde ook nog. Als het stuk was en je maakte de brokken in een vuur heet, dan smolten ze vanzelf weer aan elkaar. Je kon er bijlen van maken, waarmee een man op één dag drie dikke bomen kon omhakken. Je kon er messen mee maken, zo scherp, dat je er een beer mee kon doden. En je kon er kleine haken mee maken om vis mee te vangen. Onze leider wilde bewijs dat het allemaal waar was en de man bewees dat het klopte. Hij kreeg veel geschenken. Veel huiden, eendendons om dekens mee te vullen, een mooie barnstenen ketting. Maar hij wilde meer. Hij wilde al onze geiten op twee na, en al onze runderen op twee na. Eerst wilde onze leider dat niet geven, maar de vreemdeling hield voet bij stuk. Na een paar dagen kreeg hij zijn zin. In ruil kreeg onze leider een mes, een bijl en een vishaak van brons.'

'En wat gebeurde er toen?' vroeg Branda.

'Er kwam ruzie,' zei Lodi. 'Iedere man van onze stam had altijd ongeveer hetzelfde. Een vuurstenen bijl, een vuurstenen mes en een paar stenen pijlpunten. Maar nu had één man drie prachtige dingen, en de anderen niet.'

Branda dacht na. 'Maar waarom vertel je dit?' vroeg ze na een tijdje.

'Omdat de vrouw van onze leider de voorspeller heeft omgekocht. Met een bronzen vishaak.'

Weer dacht Branda na. Dat Lodi zo snel een snoek
had gevangen, zou dat door die vishaak komen?
'Heb jij soms iets meegenomen?'
Lodi knikte. 'Alles,' zei ze zacht. 'Alles wat oneerlijk-
heid heeft gebracht, heb ik meegenomen. De vishaak
heb ik in mijn mantel verstopt. De bijl en het mes heb
ik ergens begraven.'
Branda knikte. Toen tilde ze plotseling haar hoofd op.
Hoorde ze daar iets kraken? Ze spitste haar oren.
'Wat is er?' vroeg Lodi.
Daardoor hoorde Branda niet dat er opnieuw iets rit-
selde, onder de voeten van iemand die stilletjes weg-
sloop.

Die nacht droomde Branda dat alles verkeerd ging.
Haar vriendin Lodi werd weggejaagd. De hemel werd
midden op de dag verduisterd. De boot, waarin haar
moeder was vertrokken, kwam terug en was leeg. En
om de goden gunstig te stemmen moest zij zelf de
drievoudige dood sterven. Ze stond met een touw om
haar nek onder een hoge boom. Het touw was over
een dikke tak gegooid en Mats de vuursteenhandelaar
had het andere eind in zijn handen …

8. Brin neemt een besluit

Branda werd met hoofdpijn wakker. Het was nog vroeg, de zon was nog niet op. Ze wreef met haar handen over haar gezicht. Mats, dacht ze. Mats, Mats, Mats. Ze zag het gezicht van de vuursteenhandelaar voor zich. Zandkleurig haar, een kort baardje, een stompe neus en diepliggende, sluwe ogen. Zijn voortanden waren afgesleten. Dat kwam, volgens haar vader, doordat hij veel knollen en wortels at. Van vlees en vis eten bleven je tanden scherp. Knollen en wortels, dat aten de stammen die in de bossen en de hoge venen woonden. Er schoot een gedachte door Branda's hoofd.

'Lodi?' Ze schudde aan de schouder van haar vriendin. Die schrok wakker en kwam met een ruk overeind. 'Wat is er? Wat is er?'

'Weet jij bij welke stam Mats de vuursteenman hoort?'

Lodi schudde haar hoofd. 'Niet bij onze stam,' zei ze. 'Hij hoort bij een stam die is doodgegaan. Ze hebben brood gebakken van giftig koren, en daarvan gegeten. Maar hij woont in de winter bij ons. Aan het eind van de herfst komt hij en als de vrieskou voorbij is, gaat hij weer weg. Waarom vraag je dat?'

'Ik heb vannacht gedroomd,' zei Branda.

'Was het een goede droom?' vroeg Lodi.

Branda schudde haar hoofd. Ze keek haar vriendin ernstig aan. 'Mag ik je raad geven?'

Lodi knikte.

'Vertel alles. Mijn vader heeft een hekel aan leugens. En aan halve waarheden heeft hij een nog grotere hekel. Hij voelt aan dat er meer aan de hand is dan wat jij verteld hebt. Dus zeg het gewoon, dat is het beste. Kom, we gaan opstaan. Laten we kijken of de eenden al eieren hebben gelegd. Mijn vader houdt van eieren, dat zal hem gunstig stemmen.'

'Zijn jouw vader en Mats vrienden?' vroeg Lodi terwijl ze langs de rivier liepen en naar nesten zochten.
Branda schudde haar hoofd. 'Nee. Mijn vader vindt dat Mats niet helemaal eerlijk is. En vorig jaar is er ruzie geweest. Twee jonge mannen van onze groep zijn getrouwd met twee meisjes van een woonheuvel verderop. Er was afgesproken dat een van de paren bij ons zou blijven. Dat is niet gebeurd. Volgens mijn vader zat Mats daar achter. Hij zegt dat Mats eraan verdiend heeft.'
Lodi knikte.
Ze vonden eieren, maar niet genoeg voor de hele groep. De eenden en andere watervogels lieten zich niet zien. De fuiken waren leeg. Daarom gingen Branda en Lodi vissen. Lodi haalde de bronzen haak uit haar mantel te voorschijn en liet hem aan Branda zien. Die keek vol bewondering naar het geelglanzende voorwerp. Ze voelde met haar wijsvinger hoe scherp de haak was.
'Probeer hem maar eens te breken,' zei Lodi. 'Dat zal je niet lukken.'

Branda pakte de vishaak beet. De haak zag er griezelig dun uit. Hoe kon dit nu heel blijven als je ertegen duwde? Iets wat zo dun was, moest toch wel gauw breken?

'Probeer het dan,' zei Lodi glimlachend.

Maar Branda durfde het niet goed.

'Geef maar,' zei Lodi. 'Dan knoop ik de lijn eraan vast.'

Branda zag dat Lodi een lijn aan de haak knoopte. Rond de haak bond ze een paar vogelveertjes.

'Waarom doe je dat?' vroeg Branda.

'Om de snoek te foppen. Die denkt dan dat het een mals kuikentje is en dan hapt hij in mijn haak.'

Lodi gooide de haak zo ver ze kon in het water. Daarna haalde ze de lijn langzaam binnen. Dat deed ze wel dertig keer. Maar dit keer ving ze geen grote snoeken. Alleen twee kleine baarzen, net genoeg voor Eddo en Ubbo.

Branda zuchtte. Uitgerekend nu het erop aan kwam, vingen ze niets. Ze keek naar de zon. 'We moeten gaan,' zei ze. 'Anders komen we te laat.'

De anderen stonden al in een kring. Branda legde de eieren en de baarzen bij het vuur en hoopte dat haar vader ze niet zou zien. Maar Brin zag het wel.

'Is dat alles? Dat is net genoeg voor drie. En we zijn met acht.'

Branda boog haar hoofd. Ze boog haar hoofd nog dieper, toen Tabbe een handvol notendoppen in het zand gooide en hoofdschuddend bekeek hoe ze gevallen waren.

'Wat zeggen de tekenen?' vroeg Brin.

Tabbe krabde achter zijn oor. 'Er gaan rare dingen gebeuren,' zei hij langzaam.

'Zijn de goden boos?' vroeg Brin weer.

'Dat kan ik niet zien,' antwoordde Tabbe. 'Ik zie iets groots uit het noorden komen. Ik zie een steen. Ik zie een dief op de grond liggen. Ik zie een verhuizing.'

Tabbe krabde zich nogmaals achter zijn oor. 'Ik snap er niets van. Wat kan dit betekenen?'

'Ik snap het wel!' De scherpe stem van Kieks deed pijn aan Branda's oren. Kieks deed een stap naar voren. 'Een reus uit de hoge venen komt het offer terughalen. Die reus bedreigt ons met een enorme stenen strijdbijl. Omdat wij een dief onderdak geven, jaagt hij ons weg, het water in. En dat is haar schuld!' Kieks keek woedend naar Lodi. Toen stapte ze terug in de kring, en deed Fenne een stap naar voren.

'Ik denk dat het zo is: er komt een reusachtige zwaan, die toverkracht heeft, aanzwemmen. Die zwaan verandert Kieks in een steen die eruitziet als een monster. Als een dief die steen ziet, valt hij van schrik dood neer. En dan gaan wij gauw naar een andere woonheuvel verhuizen, want dan zijn we van Kieks af. De betovering duurt namelijk jammer genoeg maar drie dagen, daarna wordt Kieks weer teruggetoverd.'

Branda kreeg bijna de slappe lach, tot ze zag dat Brin en Tabbe boos naar Fenne keken.

'Drijf jij soms de spot met ons?' vroeg Brin.

Fenne begreep dat ze te ver was gegaan. Ze keek naar

de grond en stapte snel achteruit.

Brin keek de kring rond. 'Wil er nog iemand iets zeggen? Doe het dan nu.'

Even was het stil. Toen stapte Lodi naar voren. Branda hield haar adem in. Lodi begon te vertellen. Ze vertelde het verhaal over de bronzen bijl, de vishaak en het mes. Ze vertelde dat eigenlijk de dochter van de leider als offer was aangewezen, maar dat de voorspeller was omgekocht. Toen ze uitverteld was, knikte Brin. Hij stak een stokje in het zand. Branda wist wat dit betekende: een punt voor Lodi. Toen stak Brin een ander stokje in het zand. Branda schrok. Voor wie was dit een punt? Toch niet voor Kieks?

'Dit is een punt voor Kieks,' zei Brin.

Weer hield Branda haar adem in. Haar vader pakte een derde stokje. Dat zou toch niet voor Fenne zijn? Fenne had mallepraat verkocht. Daar zou haar vader nooit een punt voor geven.

Brin schraapte zijn keel. 'Onze gast zorgt voor ruzie en onrust. Dat is in haar nadeel. In haar voordeel is dat zij twee van de drie dagen voor veel eten heeft gezorgd. In haar nadeel is dat zij de derde dag voor te weinig eten heeft gezorgd. Op de tweede dag dat zij hier was stormde en onweerde het. Dat duidt op de boosheid van de goden. Wij kunnen haar daarom niet in onze groep opnemen. Tenzij de goden een teken zenden. Ik heb gezegd.'

Brin keek naar de lucht. Hij stak het stokje omhoog. Branda voelde een koude rilling over haar rug lopen. Het lot had bepaald. Lodi zou verjaagd worden.

'Kijk! Kijk daar!' Tabbe wees met zijn arm omhoog. Branda keek. Boven de boomtoppen langs de rivier zag ze allemaal zwarte stippen. Vogels. Wat veel, dacht Branda. Ik heb nog nooit zo veel vogels bij elkaar gezien. De vogels kwamen dichterbij. Branda hoorde gekwetter, dat steeds luider werd.

'Het zijn spreeuwen,' zei Tabbe. 'De goden hebben spreeuwen als hun boodschappers gekozen.'

De spreeuwen vlogen in grote, gespikkelde wolken over de woonheuvel heen en weer. Ze floten en zongen, hun vleugels fladderden. Er zijn net zo veel vogels als zandkorrels, dacht Branda. Wat een enorme zwerm! Het lijkt wel of het donker wordt als ze overvliegen! Opeens gingen de spreeuwen allemaal tegelijk in de boom zitten waar Brin onder stond. Die had het stokje nog steeds in zijn handen en keek met open mond omhoog. Even later deed hij snel zijn mond dicht en spuugde met een vies gezicht iets uit. Een volgend vogelpoepje spetterde op zijn voorhoofd. Daarna kletsten er een paar op zijn kruin, op zijn schouders en in zijn nek.

'Ik begrijp het,' zei Brin. Hij stak het derde stokje naast het stokje dat Lodi gekregen had. 'De goden hebben gesproken,' zei hij. 'Lodi mag blijven.' Toen stapte hij gauw onder de boom vandaan.

9. DE GEHEIME BERGPLAATS

Branda straalde. Ze voelde haar hart in haar borst op en neer springen. Lodi keek haar verbaasd aan. 'Meent hij het echt?'
Branda knikte en sprong van vreugde op en neer. 'Als mijn vader iets zegt, doet hij het. Altijd!'
Lodi glimlachte.
Branda klapte in haar handen. 'Je mag blijven, Lodi! Ben je niet blij?'
Lodi sloeg haar handen in elkaar en keek naar de lucht. Ze haalde een paar maal diep adem. 'Kom, Branda,' zei ze. 'We gaan mijn geschenken aan de groep ophalen. Ga je mee?'

Branda liep achter Lodi aan langs de rivier. Ze zong zacht een liedje. Lodi liep met snelle stappen. Branda had af en toe moeite om haar bij te houden. Ze liepen tot voorbij de bocht in de rivier. Bij een grote kei die half in het water lag stond Lodi stil. Ze draaide zich om. Op een heuveltje in het gras stond, tussen twee elzenbosjes, een kleine eikenboom. Lodi wees. 'Daar ligt het. Vlak bij die eik.'
Branda en Lodi liepen door het gras. De grond was zacht. Hier en daar waren poelen. Je moest goed uitkijken waar je liep. Bij de eik werd de grond droger en steviger. Lodi wees naar een plek naast de stam. 'Daar liggen ze. Tussen de wortels.'
Ze liet zich op haar knieën zakken en begon te graven.

Branda hielp mee en keek niet om zich heen. Na een tijdje graven zag ze een stuk geitenvel uit het zand tevoorschijn komen. Ze zag niet dat het hoge riet naast de eik bewoog en dat er een gebogen figuur van het riet naar een van de elzenbosjes sloop. De figuur droeg een kap van dierenvellen over zijn hoofd. In zijn hand had hij een zware, stenen knots. Hij was nu vlakbij, maar hield zich muisstil. Tot een van de meisjes de zak van geitenvel uit het gat omhoog trok, en de inhoud van die zak in het gras liet vallen.

'Waahaahaa! Niet bewegen! Anders dood! Dood! Dood!'

Branda sprong op. Voor haar stond een harige figuur. Een strijdknots zwaaide vlak langs haar gezicht. Ze stapte van schrik achteruit en viel in het gat. De figuur sprong met een schreeuw op Lodi af en sloeg toe. Lodi ontweek een klap op haar hoofd door opzij te duiken, maar haar schouder werd geraakt. Met een kreet van pijn viel ze tegen de boom. De aanvaller bukte zich razendsnel en griste de bronzen voorwerpen van de grond. Hij gooide zijn strijdknots weg en rende naar de rivier. Branda worstelde zich uit de kuil.

'Gewond?' vroeg ze aan Lodi.

Die schudde met een pijnlijk gezicht haar hoofd. 'Blauwe plek. Niets gebroken.'

'Ik ga achter hem aan,' zei Branda. Ze wachtte niet op antwoord, maar pakte de strijdknots en zette de achtervolging in.

Branda rende zo snel ze kon naar de rivier. Daar zocht

ze naar voetsporen. Zou de rover naar de overkant zijn gezwommen?

Eindelijk, daar zag ze sporen. Het waren sporen van iemand die hard liep. De sporen liepen langs de rivier, in de richting van het bos. Branda begon weer te rennen. Toen ze de bocht om was zag ze in de verte iemand lopen. Was het iemand met een kap over zijn hoofd?

Ja! Ze zag het duidelijk!

Branda zette nu alles op alles. De strijdknots woog zwaar, haar arm begon pijn te doen. Met die knots haal ik hem niet in, dacht ze. Maar als ik de knots weggooi, heb ik geen wapen. En die rover wel. Die heeft een bronzen mes en een bronzen bijl. Wat moet ik doen? Ze beet haar tanden op elkaar. Ze dacht aan de voorspelling. De stem van Tabbe schoot door haar hoofd.

'Ik zie iets uit het noorden komen. Ik zie een steen. Ik zie een dief op de grond liggen.'

Deze knots moet ik houden, dacht Branda. Ze spande haar spieren en zette alles op alles. De rover rende weer een bocht om. Zou ze hem kunnen inhalen?

Branda vocht om zo snel mogelijk vooruit te komen. Alles deed zeer, haar hart bonkte in haar oren. Ze rende de bocht om en kreeg de rover weer in zicht. Ze haalde hem niet in. Hij leek verder weg dan zonet. Branda rende door omdat haar vader haar dat geleerd had.

'Als je wilt opgeven, moet je juist doorgaan,' zei Brin altijd. 'Als je voor de tweede keer wilt opgeven, moet

je ook doorgaan. Pas als je voor de derde keer wilt opgeven mag je stoppen. Niet eerder.'
Branda voelde haar benen pijn doen. Even raakte ze
buiten adem en werd het zwart voor haar ogen. Toen
de kleuren weer terugkwamen, zag ze dat de rover nog
net zo ver voor haar uit liep als eerst. Maar ze zag nog
iets. Iets waar ze erg van schrok ...

Er kwam iemand aan, van de andere kant. Een gedaante in een lange, bruine mantel. De rover heeft een
helper, dacht Branda meteen. Toen dacht ze aan de
voorspelling. Er komt iets uit het noorden. Ze keek
weer naar de gedaante in de mantel en ze besloot het
erop te wagen.
'Help!' riep ze, zo hard ze kon. 'Hij heeft gestolen!
Sla hem neer.' Branda wees naar de vluchtende rover.
Even stond de vreemdeling in de mantel stil. Toen begon diens rechterarm rondjes in de lucht te maken. Er
klonk een suizend geluid. Een slinger, wist Branda.
Maar op wie zou de vreemdeling mikken? Op haar of
op de dief? Het gesuis werd hoger en eindigde met
een fluittoon. Een paar tellen later viel de rover als
een blok op de grond. Branda slaakte een kreet van
vreugde en opluchting. Ze liet de knots vallen en rende naar de vreemdeling toe. Ze wilde hem bedanken.
Ze wilde hem uitnodigen voor het avondmaal. Maar
toen ze vlakbij was wilde ze dat allemaal niet meer.
De vreemdeling had de kraag van de mantel terugge-
slagen. Branda voelde zich opeens heel licht worden.
De moeheid verdween, de kleuren werden vrolijk en

alles blonk en schitterde.

'Moeder!' riep ze. 'Je bent teruggekomen!'

Branda viel in de armen van Ada, haar moeder. Ze voelde tranen van vreugde over haar wangen lopen.

'Branda!' hoorde ze de stem, die ze zo lang gemist had, zeggen. 'Branda! Gelukkig, je leeft nog. Hoe is het met de anderen?'

Branda kon alleen maar knikken.

'We moeten op de dief letten,' zei Ada. 'Als hij bij kennis komt, kan hij ons neerslaan.'

De dief lag nog op de plek waar hij was neergevallen. Branda trok de kap van zijn hoofd. Ze schrok. Het was Mats. Op zijn voorhoofd zat een buil zo groot als een ei.

'Goede worp, moeder,' zei Branda. 'Recht tussen zijn ogen.'

'Wat heeft hij gestolen?' vroeg haar moeder.

Branda zocht onder het jak dat Mats droeg. Ze haalde het bronzen mes en de bijl te voorschijn. Haar moeder keek er met grote ogen naar. Ze voelde aan het metaal.

'Dat is brons,' zei Branda. 'Het is nieuw, en het is heel veel waard.'

Ada knikte. 'Hoe komen jullie eraan?'

'Dat is een heel verhaal,' zei Branda. 'Het heeft met mijn vriendin Lodi te maken. Maar waar was je zo lang?'

Haar moeder schudde haar hoofd. 'Dat vertel ik later,' zei ze. 'Eerst wil ik naar de anderen.'

'Wat doen we met Mats?' vroeg Branda.

Ada keek naar de vuursteenhandelaar, die nog steeds bewegingloos op de grond lag.

'Laat hem maar. Hij heeft zijn straf gehad, aan de buil op zijn hoofd te zien.'

'We moeten eerst Lodi ophalen,' zei Branda. 'Die zit bij de eik op mij te wachten. Het brons is eigenlijk van haar.'

10. Het verhaal van Ada

Branda kende haar vader als een eerlijke, maar norse man. Hij zei nooit een woord te veel en lachte zelden. Maar nu kende ze hem niet terug. Zodra hij zijn vrouw zag begon hij over zijn hele gezicht te stralen. Hij trilde op zijn benen als een pasgeboren kalf, stak zijn armen in de lucht en gaf een schreeuw van vreugde.

'Ada! Je bent terug! Ada! Terug! Ada is terug! Ada!'
De anderen wisten niet goed waar ze moesten kijken. Ze stonden te popelen om Ada te begroeten, maar kregen de kans niet. Brin bleef maar roepen en op en neer springen. Pas toen hij, met tranen in zijn ogen, even op de grond ging zitten konden de anderen Ada begroeten. Daarna kreeg Ada gelegenheid om haar verhaal te vertellen.

'Ik voer met de boot de rivier af, tot aan de plek waar het water heel breed wordt. Daar brak mijn peddel. Ik probeerde de boot naar de oever te sturen. Door de stroming en de opstekende wind lukte dat niet. Ik dreef af en zag alleen maar water om mij heen. Dat water was zo zout, dat ik het niet kon drinken. Pas een dag later zag ik weer land. Ik peddelde met mijn handen en kon zo de boot naar het land sturen. Ik trok mijn boot op de oever en ging takken zoeken waar ik een nieuwe peddel van kon maken. Dat lukte. Maar toen ik terugliep naar de boot, was die verdwenen.

Het land was een eiland en er woonden geen mensen. Ik bouwde een hut en hield mij in leven met vogels, mosselen en vissen. Er groeiden ook wortels en er lagen veel walnoten op de grond. Zo kwam ik de winter door. En zeven dagen geleden blies de storm het water tussen het eiland en het vasteland weg. Ik liep naar de overkant. Daarna liep ik langs de kust naar het zuiden. Ik had veel honger en maakte mij zorgen om het kind dat in mijn buik groeide. Gelukkig kwam ik mensen tegen. Het waren Friezen. Zij gaven mij eten en vroegen waar ik vandaan kwam. Ik vertelde van onze woonheuvel. Zij vroegen of rond onze heuvel het water ook steeds hoger kwam te staan. Daarna lieten zij zien wat zij tegen het stijgende water deden. Zij maakten hun woonheuvel hoger met grond van het land dat eromheen lag. Ik ben twee dagen bij de Friezen gebleven. Toen was ik weer sterk genoeg om verder te gaan. En nu ben ik hier. Net op tijd om mijn dochter te helpen om een dief te vangen.'

Lodi stapte naar voren en gaf het bronzen mes en de bronzen bijl aan Brin. Die keek er aandachtig naar. Hij liet zijn vinger over het glanzende metaal glijden. Toen stapte hij naar een grote esdoorn en gaf een paar klappen tegen de stam. Hij keek naar de keep die hij in de boom had gemaakt en knikte goedkeurend.
'Dit is een wonder,' zei hij. 'Hiermee kan ik drie keer zo snel hout hakken als met een vuurstenen bijl. En dan kan ik een betere hut bouwen en een betere boot en betere peddels maken. Dan hoef ik nooit meer te

handelen met Mats, die gemene dief met zijn mooie praatjes en zijn slechte messen. Dank aan ieder die ervoor gezorgd heeft dat ik deze bijl nu in handen heb.' Brin knikte naar Lodi, naar zijn vrouw en naar Branda.

Toen vroeg Tabbe het woord. 'Tot zover gaat alles zoals ik het voorspeld heb,' zei hij. 'Er kwam iemand uit het noorden en de dief is met een steen geveld. Maar er was nog een laatste voorspelling. Over een verhuizing. Weet jij wat dat kan betekenen?'

Tabbe keek naar Ada. Die knikte.

'Op weg van de Friezen naar hier ben ik langs een andere woonheuvel gekomen,' vertelde Ada. Die heuvel is groter en hoger, en er groeien notenbomen, bessenstruiken en appelbomen. Er wonen drie oude vrouwen. Hun mannen zijn dood. Hun zonen en dochters zijn na een ruzie in de groep verdwenen. Wij zijn er welkom, als we beloven hen te laten delen in ons voedsel. De rivier daar is kleiner, maar er zit wel veel vis. Ik heb er kudden herten gezien. En er is veel vruchtbare grond, waar we linzen, gerst en erwten kunnen planten. Bovendien kunnen we die heuvel ophogen, als het nodig is. Net als de Friezen doen. Deze heuvel is daar te klein voor. Het zou echt een verbetering zijn, Brin.'

Branda zag haar vader langzaam knikken.

'Als we willen verhuizen, moeten we het nu doen,' zei Tabbe. 'Het is nu de tijd om gerst te zaaien en linzen te planten.'

Weer knikte Brin langzaam.

'Zijn die vrouwen daar ouder en langzamer dan ik?' vroeg Kieks.

Ada knikte.

Kieks grijnsde haar gele tanden bloot en keek opgewekt om zich heen. 'Dan is het volgens mij een verbetering,' zei ze.

Brin en Tabbe begonnen te grinniken. Branda glimlachte. Als Kieks niet meer de laagste van de groep was, zou Lodi het makkelijker krijgen.

'Maar zeg eens, Tabbe,' zei Brin opeens. 'Wat voorspel jij over mijn komende kind? Wordt het een zoon of een dochter?'

Tabbe haalde het zakje met notendoppen onder zijn vest vandaan. Hij sloot zijn ogen, draaide zijn gezicht naar de zon en liet de notendoppen over zijn handpalm heen en weer rollen. Terwijl hij zachtjes mompelde liet hij de notendoppen vallen. Hij deed zijn ogen open en keek naar de doppen. Branda keek in spanning toe. Zou ze een broertje krijgen?

Tabbe schudde zijn hoofd. 'Ik zie het niet, Brin. Ik zie dat het een heel eigenwijs kind wordt. Maar of het een jongen is of een meisje, dat zie ik niet.'

Brin knikte. 'We wachten af,' zei hij. 'Maar één ding is zeker.'

'Wat is dat?' vroeg Branda.

'Als het een zoon wordt, noem ik hem Brons,' zei Brin.